운명의 점술관

손서빈 지음

너라면 해낼 수 있어!
_용기를 내보자!

운이 없다고만 생각했던 하루가 이렇게
소중한 날이 되다니.
_행운일까, 불운일까?

분명 네 진심이, 전해질 테니까….
_아직 늦지 않았어

네가 없으면, 난 웃으면서 스케이트를
탈 수가 없어!
_떨어져 있어도 우린 함께야

항상 다른 선수들을 지켜보고 있었구나.
_우정의 패스

최선을 다하는 것이 얼마나 중요한지
알게 된 것 같아.
_ 내가 좋아하는 사람은… (태윤 엔딩)

내가 이렇게 음악 얘기를 할 수 있는 건
너뿐인걸….
_내가 좋아하는 사람은… (정우 엔딩)

남자아이인데 어쩜 이렇게 귀여울까.
_내가 좋아하는 사람은… (민기 엔딩)

내가 좀 더 빨리 솔직한 내 마음을 전했더라면….
_솔직한 마음

목차

프롤로그 6

용기를 내보자! 9
행운일까, 불운일까? 23
아직 늦지 않았어 33
떨어져 있어도 우린 함께야 45
우정의 패스 61
내가 좋아하는 사람은… (태윤 엔딩) 73
내가 좋아하는 사람은… (정우 엔딩) 83
내가 좋아하는 사람은… (민기 엔딩) 93
솔직한 마음 101

에필로그 114

작가의 말 116

프롤로그

이곳은 점술관. 운명을 바꿀 '무언가'를 알고 싶은 이들이 오는 곳.

그리고 그 가운데에 있는 책상에 앉아 있는 한 젊은 남자. 하얀 은발과 반짝이는 보라색 눈동자를 가진 남자는 부드러운 인상을 하고 있었다.

딸랑.

"음, 또 누군가가 오셨나 보군요. 이번엔 무슨 고민일까요?"

낡은 문을 열고 한 소녀가 들어왔다. 금발에 녹안을 가지고 있는 소녀였다.

"여기엔 무슨 일로 오셨나요?"

"좋아하는 사람이 있는데 솔직하게 말할 수가 없어요…. 저, 용기를 내서 고백하고 싶어요!"

"걱정하지 마세요. 기회는 누구에게나 주어진답니다. 중요한 건 그 순간에 당신이 어떻게 행동하느냐죠."

"제가요…?"

"인생은 선택의 연속이에요. 당신의 선택과 행동에 따라, 미래가 크게 달라지죠. 특별히 이 부적을 드릴게요."

남자가 내민 부적은 하트 모양의 예쁜 열쇠고리였다.

"운명을 바꿀 수 있는 중요한 순간에 이 부적이 빛날 거예요."

"운명을 바꿀 중요한 순간을 알려주는 거네요? 정말 멋져요! 감사합니다."

그 말을 끝으로 소녀는 점술관을 나갔다. 소녀가 나가자마자 남자가 투명한 수정구슬을 책상 위에 올렸다.

"자, 저 소녀의 미래는 어떻게 바뀔지…. 함께 지켜볼까요? 운명이 바뀌는 순간의 이야기를."

용기를 내보자!

내 이름은 유민아. 중학교 1학년이다.

스파앙!

찬우가 던진 공이 글러브 안으로 들어갔다.

"굉장하다! 공이 엄청 빠르잖아?!"

"설마 저 애가 요즘 유명한 그 1학년, 이찬우?"

'선호는 정말 대단해. 그런데 난 어제, 왜 마음에도 없는 말을 했을까?'

* * *

"현주야!"

찬우가 내게 달려왔다.

"나, 주전 됐다!"

"네가? 진짜??"

나는 눈이 동그래져서 되물었다.

'어릴 때부터 야구를 열심히 하더니, 점점 꿈에 다가가고 있구나.'

그렇다. 찬우의 꿈은 야구 선수였다.

'정말 대단해.'

"내가 선발로 나가는 첫 시합, 꼭 보러 와!"

응원해 달라는 말에 나는 장난스럽게 대꾸했다.

"꼬맹이 응원이라니~. 글쎄, 어쩐다."

"그건 예전 이야기지!"

찬우가 갑자기 내게 더 가까이 다가왔다.

"지금은, 내가 더 크다고."

'너, 너무 가깝잖아!'

나는 얼굴이 빨개져서 소리쳤다.

"…그, 그래봤자, 키 좀 크다고 뽑힌 거겠지!"

'이, 이런. 당황해서 아무 말이나 해버렸다.'

"…왜 그러냐."

찬우는 울 것 같은 표정이었다.

"너라면 당연히 기뻐해 줄 줄 알았는데."

그 말을 끝으로 찬우는 등을 돌렸다. 그러고는 자기 반으로 들어가 버렸다.

* * *

여기까지가 어제 있었던 일이다.

'옛날에는 솔직하게 말하고, 응원할 수 있었는데…. 찬우를 좋아하는 마음을 깨닫고 난 뒤로, 자꾸 마음에도 없는 소리만 나오는 것 같아.'

나는 속상함에 열쇠고리를 만지작거렸다.

'정말로 이 열쇠고리가 내 운명을 바꿔 줄까?'

찬우 생각을 하며 교실로 들어가 보니, 내 자리에서 누군가가 기다리고 있었다.

"안녕, 민아야!"

내 자리에 있던 아이는 옆 반 아윤이었다.

'아윤이가 왜 우리 반에 있지…?'

아윤이는 귀여운 얼굴을 가지고 있어서 우리 반에

서도 유명했다.

“너 이찬우랑 소꿉친구라면서?”

“으, 응.”

“찬우 말이야, 1학년인데 주전이라니 대단하지 않아?”

“그렇지? 아침엔 달리기, 저녁엔 근력운동, 프로 선수가 경기하는 걸 보며 분석까지 해. 역시 노력하면 그만한 보상이 있다니까.”

나는 얼떨결에 신이 나서 찬우를 칭찬했다.

“너 찬우에 대해 잘 알고 있구나?”

“당연하지. 소꿉친구니까.”

당연하게 생각했던 친구 사이가 뿌듯하게 느껴졌다.

“좋겠다.”

“…응?”

“나도 찬우랑 친해지고 싶어.”

‘뭐?’

나 말고도 찬우에게 관심 있는 사람이 있었다니…. 너무나 당황스러웠다.

"나, 오늘부터 야구부 매니저를 맡게 됐어. 민아야, 앞으로도 찬우에 대해 많이 알려줘."

'야구부 매니저라고? 그럼 같이 있는 시간이 더 많아지는 거 아니야? 이대로 있다간 나와 선호의 사이가 점점 멀어질 거야. 조금이라도 더 빨리 화해해야 해…!'

나는 다급하게 찬우네 반으로 달려갔다. 반 안을 들여다본 순간 나는 깜짝 놀랐다.

'완전 인기 폭발이잖아?'

찬우는 많은 학생에게 둘러싸여 있었다. 여학생은 물론이고, 남학생들도 있었다.

"축하해~."

"제법인데?"

아이들이 하는 말은 찬우에 대한 칭찬이 대부분이었다. 찬우에게 말을 거는 사람 중에는 아윤이도 있었다.

"…!"

찬우가 나를 발견하고는 천천히 다가왔다. 그러고는 다른 곳을 바라보며 물었다.

"…무슨 일이야?"

"찬우야…."

'말해야 해. 어제는 미안했다고 꼭 말해야 해.'

그때, 열쇠고리가 살짝 빛났다. 하지만 나는 무슨 말을 해야 할지 고민하느라 그 빛을 보지 못했다.

내가 조심스럽게 말을 꺼내려던 순간, 아윤이가 찬우의 옷깃을 잡았다.

"찬우야, 야구부 가야 해."

"……!"

아윤이가 찬우의 옷깃을 잡은 것을 보자 인상이 구겨졌다.

"아무것도 아니야."

그 말과 함께, 열쇠고리의 빛도 사그라들었다. 나는 마음이 복잡해져서 뒤돌아서 뛰기 시작했다.

"민아야…."

뛰어가는 민아의 모습을 보며 찬우는 조용히 민아의 이름을 중얼거렸다.

* * *

그 후로 서로 화해도 못 한 채, 며칠이 지나고 말았다.

"에휴…."

힘 없이 한숨을 쉬고 있는데, 창문에 착 달라붙어서 떠들어 대는 아이들의 목소리가 들렸다.

"저기 봐. 이찬우다! 진짜 멋있는 것 같지 않아?"

"옆에 서 있는 아이, 새로 들어온 매니저 맞지? 둘이 사귀나?"

아이들이 오해할 만도 했다. 아윤이가 다정하게 찬우의 목에 맺힌 땀을 수건으로 닦아주고 있었으니까.

하지만 아윤이와 찬우가 함께 있는 것을 보니까 눈물이 나올 것 같았다.

'언제까지나 응원하고 싶었어. 하지만 이제, 네 곁에 있는 건 내가 아니야….'

찬우 옆에 서 있는 아윤이의 모습에 내 모습이 겹쳐 보였다.

'이대로 찬우와 이야기도 제대로 나눠보지 못하고, 두 사람이 사귀게 된다면….'

두 사람이 사귀는 모습을 떠올리니, 커다란 눈물방울이 바닥으로 떨어졌다.

"그건 싫어…."

한 번 울기 시작하니 눈물이 끊임없이 쏟아져 나왔다. 난 마지막 희망을 바라보듯이 열쇠고리를 보며 계속 울었다.

"이제 어떡하면 좋지?"

* * *

'좀 늦긴 했지만, 결국 오고 말았어.'

난 오지 않으려고 했지만, 찬우가 경기를 잘하고 있을지 궁금해서 결국 찾아오고 말았다.

"5대 4…. 이기고는 이고는 있지만 곧 따라잡힐 것 같네. 찬우는 어디에…."

찬우는 야구장 중앙에서 공을 던지고 있었다.

'찾았다! 정말로 공을 던지고 있네.'

"찬우야, 파이팅!"

응원 소리가 들리는 곳을 바라보니 아윤이가 있었

다. 야구부 매니저라서 더욱 열심히 응원하는 것 같았다.

탕! 타자가 공을 받아냈다.

“큭….”

찬우의 얼굴에는 땀방울이 송골송골 맺혀 있었다. 내 옆에 있던 선배들은 그 모습을 보며 험담을 하고 있었다.

“벌써 지친 거 아니야?”

“1학년을 선발로 세우니까 그렇지.”

“다음 회에서 엄청나게 두들겨 맞겠다.”

‘어떻게 그런 말을…. 심지어 같은 야구부인데.’

“저기…!”

한마디 하려던 나는, 선배들의 말을 듣고 말문이 막혔다.

“키 좀 크고 공 좀 빠르다고 뽑힌 거겠지, 뭐.”

그 말은 내가 전에 했던 말과 아주 비슷했다.

‘진심은 아니었지만, 나도 찬우에게 상처를 줬어. 내 응원을 들어도 기쁠 리 없겠지.’

“다음 회, 괜찮을까?”

"또 잘못하면 교체해야지."

'진심이 아니었다고 말하고 싶어.'

그때, 다시 한번 열쇠고리가 빛났다.

'응?!'

다행히도 이번에는 나도 그 빛을 발견할 수 있었다.

'혹시 지금이, 운명을 바꿀 수 있는 순간인 거야?'

그 사실을 깨닫자, 내가 하고 싶었던 말들이 떠오르기 시작했다.

'사실은 찬우에게 하고 싶은 말이 많은데…. 더는 말을 못 해서라는 이유로 후회하고 싶지 않아.'

열쇠고리를 꽉 쥐자, 마음속에서 용기가 솟아오르는 것 같았다.

"찬우야, 힘내~!"

나는 온 힘을 다해 소리쳤다.

"키만 크다고 뽑힐 만큼 쉬울 리가 없잖아! 누구보다도 열심히 노력했잖아!"

내가 소리치는 걸 들었는지, 아윤이와 선배들은 놀란 표정을 하고 있었다.

“너라면 해낼 수 있어!”

내 응원을 들은 찬우의 입꼬리가 씩 올라갔다. 그리고 그 웃음 시작으로 몸 전체에 자신감이 퍼졌다.

부웅! 찬우가 공을 던졌다.

“스트라이크! 타자 아웃!”

‘해냈다! 이겼다!’

찬우가 방긋 웃으며 나에게 다가왔다.

“민아야! …왔구나.”

“응….”

그러더니 볼을 긁적이며 말했다.

“역시 네 응원이 제일 힘이 난단 말이야.”

누가 들어도 고백에 가까운 말이었다.

“그 말은….”

“어릴 때부터 항상 응원해 준, 네가 좋아.”

내 볼이 붉어지며 기쁨의 눈물이 툭 떨어졌다.

“나도, 나도 찬우 네가 좋아…!”

그렇게 행복한 마음으로 서 있는데, 관람석에 앉아 있던 선배들이 몰려왔다.

“제법이다, 1학년”

"행복해라~."

우리의 모습을 모두가 보았다는 게 부끄럽기도 했지만, 계속 웃음이 터져 나오는 것을 막을 수는 없었다.

'작은 용기가 운명을 바꿨다. 용기 낼 힘을 줘서 고마워, 열쇠고리야.'

행운일까, 불운일까?

"여기서 주인공이 선배를 향해…."

"하윤아, 집에 같이 가자!"

수업이 끝난 줄도 모르고 내 애착 노트에 열심히 만화를 그리고 있는데, 갑자기 앞에 다은이의 얼굴이 불쑥 끼어들었다.

"앗! 깜짝이야."

"또 만화 그리고 있었지? 집에 갈 시간이야."

"엥? 벌써 시간이 그렇게 됐어? 금방 준비할게. 같이 가자."

"쉬는 시간에도 계속 그리더니, 아직도 그리는 거야? 넌 정말로 만화를 좋아하나 보다."

다은이는 내 그림 재능이 부럽다며 수다를 떨었다.

"다음번에 하는 잡지 그림에 도전해 보는 건 어때?"

"에이, 내 실력에 잡지는 무슨. 나보다 잘 그리는 사람이 엄청 많을 텐데…. 될 리가 없잖아."

"너라면 할 수 있다니까!"

다은이와 헤어져야 할 갈림길에 거의 다 왔을 때쯤, 다은이가 갑자기 한 가지 이야기를 꺼냈다.

"있잖아, 내가 일주일 전에…. 집에 가는 길이 공사 중이어서 멀리 있는 골목길로 가게 되었는데, 엄청 인기 많은 연예인을 봤어!"

"정말? 너무 부럽다!"

"운이 좋았던 것 같아. 가끔은 다른 길로 가 보는 것도 재미있다니까. 너도 한 번 가봐! 어떤 행운이 기다리고 있을지 모르잖아? 어, 벌써 갈림길이네. 그럼, 내일 보자!"

"응, 잘 가!"

그렇게 바로 집으로 가려던 나는 다시 걸음을 돌렸다.

"……."

그렇게 나는 잠깐 생각에 잠겼다.

"그러고 보니 마트 앞에 문구점이 새로 문을 열었지…. 잠깐 들러서 구경해 볼까?"

천천히 걸어가려던 나는 시계를 보고, 후다닥 뛰기 시작했다.

"앗, 곧 문 닫을 시간이네. 빨리 가야겠다."

그렇게 뛰어가던 도중에, 옆길에서 걸어오던 아주머니와 부딪히고 말았다. 그리고 그 충격 때문에 손에 들고 있던 가방이 떨어졌다.

"아야야."

중심을 잃어서 엉덩방아를 찧은 내 입에서 신음이 흘러나왔다.

"미안해, 괜찮니?"

"제, 제가 뛰다가 생긴 일인걸요? 죄송합니다!"

"어디 다친 데는 없고?"

미안한 건 오히려 내 쪽인데, 아주머니가 나보다 더 안절부절못했다.

"괜찮아요. 정말 죄송합니다."

"아니야, 나야말로."

나는 다시 한번 사과하고는 급하게 문구점으로 뛰어갔다.

* * *

“맙소사.”

문구점에 붙은 종이를 본 나는 절망하고 말았다. 종이에는 오늘이 정기휴일이라는 충격적인 문구가 적혀있었다.

“말도 안 돼…. 할 수 없지. 서점이나 들렀다 가야겠다.”

시무룩하게 서점에 들어간 나의 기분은 순식간에 완전히 달라졌다. 오늘이 내가 좋아하는 책이 나오는 날이었기 때문이다.

“맞다! 오늘이 [대마법사가 힘을 잃으면] 신간 나오는 날이었지.”

기쁜 마음으로 신간 판매대를 바라본 나의 표정은 한층 더 밝아졌다. [대마법사가 힘을 잃으면]이 한 권밖에 안 남아있었기 때문이다.

"엄마, 이거! 마지막 한 권이야!"

얼른 신간 판매대로 뻗은 내 손은 그 자세 그대로 굳어 버렸다. 어떤 여자아이가 나보다 먼저 책을 집어 들었기 때문이다.

"운이 좋았네."

"응!"

아이의 표정은 아주 밝았다. 하지만 내 표정은 그 아이와 전혀 반대되는 듯했다. 나는 터덜터덜 계산대로 걸어갔다.

"저기 실례합니다."

내가 직원에게 책이 더 있냐고 물어보자, 직원은 미안하다는 듯이 대답했다.

"[대마법사가 힘을 잃으면]은…. 죄송합니다. 방금 재고가 다 떨어졌어요."

"알겠습니다…."

마지막 희망조차 잃어버린 나의 목소리는 금방이라도 울 것 같았다.

'오늘은 도무지 뜻대로 되는 일이 없는 날이네….'

"할 수 없지. 집에 가서 아까 그리던 만화나 다시

그리자."

그렇게 스스로를 달래며 공책을 꺼내려는데, 아무리 찾아봐도 공책이 보이지 않았다.

"어라? 공책이 없어?! 어떻게 하지?! 아까 골목에서 부딪쳤을 때 떨어뜨렸나 봐."

나는 내 소중한 공책을 되찾기 위해 다급하게 경찰서로 달려갔다.

"실례합니다. 공책을 분실했는데 혹시 여기에 보관된 게 있나요?"

"오늘은 분실물 신고가 없었습니다."

"그런가요…."

'좋은 일이 생길 줄 알았는데, 나쁜 일만 계속 생기잖아?'

오늘 있었던 불운을 생각하며 시무룩하게 경찰서에서 나오는데, 귀에 익은 목소리가 들렸다.

"앗, 학생…!"

"어라, 아까…?"

목소리의 주인공은 아까 골목에서 부딪쳤던 아주머니였다.

"만나서 다행이다. 자, 이거."

아주머니는 나에게 무언가를 내밀었다. 아까 잃어버린 내 공책이었다.

"내 공책…!"

"내용을 살짝 봤는데 재밌더라. 사실은 나도 루나라는 필명으로 만화를 그리고 있거든."

'루나?!'

"저, 루나 선생님의 팬이에요. 그중에서도 [대마법사가 힘을 잃으면]이요! 선생님을 닮고 싶어서 만화도 그리는 거고요!"

나는 존경하던 만화작가를 직접 보게 된 설렘을 감출 수가 없었다.

"어머, 정말이니? 고마워. 나도 네 나이 때쯤, 만화를 시작해서 유명해질 수 있었어. 그러니까 학생도 포기하지 말고 힘내!"

"네…!"

루나 선생님의 응원을 받으니 무엇이든지 할 수 있을 것만 같았다.

'운이 없다고만 생각했던 하루가 이렇게 소중한 날

이 되다니.'

평소와 다른 특별함이 그 뒤의 운명을 바꾸는 일도 있다. 앞으로 나의 미래가 어떻게 될지 정말 궁금해!

아직 늦지 않았어

"초코야, 산책하러 가자!"

'이 아이는 이하나.'

"오늘은 빨간색 줄로 하자!"

"멍!"

'예쁘고 마음씨 착한, 나의 멋진 가족이지.'

"다녀오겠습니다."

하나가 콧노래를 부르며 현관문을 열었다. 나는 그 모습을 물끄러미 지켜보았다.

'요즘 하나는 산책하러 가는 게 무척이나 즐거운가 봐.'

그 이유는….

"아! 오늘도 있다."

하나가 바라본 곳에는, 안경을 끼고 책을 읽고 있는 남자아이가 한 명 앉아 있었다. 김선우. 하나의 옆 반 아이로, 잘생긴 외모 덕분에 인기가 꽤 많은 것 같았다.

"초코야, 저기 봐. 멋있다…."

'몇 주 전에, 이곳에서 우연히 선우를 보게 된 이후로 하나는 계속 이렇게 말해.'

"학교에서는 장난도 많이 치고, 안경도 쓰지 않는데, 학교가 아닐 땐 완전 다르단 말이야! 밖에서의 선우를 아는 사람은, 나뿐… 일지도. 헤헤. 너무 오버인가…?"

하나가 호들갑을 떨고 있는데, 덤불에서 부스럭거리는 소리를 들었는지, 선우가 우리 쪽을 빤히 쳐다보았다.

선우와 눈이 마주친 하나의 얼굴이 빨개졌다. 하나는 급하게 머리를 숙여 인사를 하고는 집으로 달려갔다.

'나는 저 녀석이 마음에 안 들어. 왠지 하나를 빼앗

기는 기분이거든. 하지만….'

나는 생각을 멈추고 하나를 바라보았다. 하나는 아직도 가라앉지 않은 빨간 얼굴로 중얼거리고 있었다.

"초코야, 나 어떡하지…? 선우랑 눈이 마주쳤어."

'짜증 나지만, 하나가 이런 표정을 짓는 건 항상 선우 때문인걸….'

* * *

그날 이후로, 선우와 하나는 공원에서 인사를 주고받는 사이가 되었다.

"초코야…. 선우는 오늘도 멋있더라. 그렇지? 보기만 해도 좋아…."

'그렇게 좋으면 먼저 말을 걸면 될 텐데.'

나는 하나의 마음이 이해되지 않아 고개만 갸웃거렸다.

'하나는 왜, 지켜보기만 하는 걸까?'

"어라…. 오늘은 없네."

들뜬 마음으로 산책을 나왔지만 하나가 보고 싶어

했던 선우는 공원에 없었다.

"아쉽지만, 이런 날도 있는 거지 뭐."

하나가 실망스러움을 감추지 못하고 멍하게 서 있는데, 옆에서 선우가 달려왔다. 선우를 발견한 하나는 당황하며 인사를 했다.

"으아아…."

선우는 빙긋 웃으며 하나에게 손을 흔들고 인사했다. 오늘은 안경을 쓰지 않은, 학교에서와 같은 모습이었다.

"선우는 항상 밝고 반짝반짝 빛나. 눈부실 정도로…. 그러니까 멀리서 지켜보기만 해도 충분해…."

하나는 슬픈 듯이 말끝을 흐렸다.

* * *

'하나야….'

하나가 일어났다. 어젯밤 늦게까지 공부해서 늦잠을 잔 모양이었다. 하지만 하나는 고맙게도 일어나자마자 산책하러 나가자고 했다.

기쁜 마음에 얼른 목줄을 차고 집을 나오는데, 뒤에서 익숙한 목소리가 들렸다.

"하나야!"

놀라서 뒤를 돌아보니, 하나의 단짝인 가윤이가 손을 흔들며 뛰어오고 있었다.

"무슨 일이야? 이 동네에서 만나다니, 별일이다."

"공원 길 건너에 있는 세탁소에 심부름하러 왔어. 넌 산책이야?"

"응."

"그렇구나. 초코도 오랜만이야!"

"멍!"

난 가윤이가 좋다. 항상 나와 하나에게 친절하기 때문이다.

"늘 이 길로 산책 다니는 거야?"

"응. 이 길로 쭉 가서 바로 앞에 있는 공원 주변을…."

하나가 말을 흐렸다. 이대로 길을 알려주면 가윤이도 밖에서의 선우의 모습을 알게 되기 때문이다.

"그, 그, 그렇지만 오늘은 이쪽 길로…."

하나가 안절부절못하며 가윤이를 말리려고 했지만, 가윤이는 이미 공원 쪽으로 가버린 뒤였다.

"어라… 선우잖아! 혼자 뭐 하는 거지?"

가윤이는 어느새 덤불 뒤에 숨어서 선우를 호기심 가득한 눈으로 바라보고 있었다.

"책을 읽네…. 안경도 쓰고. 학교에서랑은 분위기가 완전히 다르지 않아?"

"그, 그런가?"

"선우한테 이런 모습이 있을 줄은 몰랐네~"

"응?"

하나는 가윤이의 기대 가득한 눈빛을 보고 심장이 덜컥 내려앉았다. 가윤이도 선우를 좋아할까 봐, 선우와 가윤이가 친해질까 봐.

"이렇게 보니 멋있는데?! 안 그래?"

"아, 응…. 그래…."

결국, 하나밖에 모르던 선우의 모습을 가윤이도 알게 되고 말았다.

* * *

"가윤이도 선우를 좋아하게 되면 어쩌지…?"

하나가 침대에 엎어져서 중얼거렸다.

'다현아….'

다음날까지, 하나는 기운이 쏙 빠져있었다.

"하아…. 오늘은 산책하러 나가기 싫다. 초코야, 어떡하면 좋을까?"

"멍멍!"

나는 얼른 구석으로 가 목줄을 물어왔다.

"?"

"왕왕!"

'하나야 용기를 내는 건 언제라도 늦지 않아. 그러니까 힘내. 알겠지? 가자.'

"초코야…. 산책하러 갈까?"

"멍!"

하나의 기분이 나아진 뒤에, 산책하러 나갔다. 하지만 하나가 바라본 벤치에는 선우와 가윤이가 다정하게 앉아 있었다.

둘이 이야기하는 것을 보고 하나는 뒤돌아 후다닥 달려갔다.

* * *

하나는 집에 도착하자마자 침대 옆에 주저앉아서 목 놓아 울었다.

"내가 먼저…. 나만 알고 있었는데…."

안경을 낀 선우도, 혼자 책을 읽는 선우도, 활짝 웃어주는 선우도, 모두 하나만 아는 것으로 생각했기에, 눈물이 멈추질 않는 듯했다.

"나…. 선우를 지켜보기만 하고 아무것도 안 했어…. 용기 내서 말을 걸지도 못하고. 그런 나는 속상해할 자격도 없어…."

하나는 다음 날도, 그다음 날도, 산책하러 나가지 않았다. 그래서 나도 자연스럽게 엄마와 산책하게 되었다.

"다현아…. 초코가 산책하러 가고 싶다는데."

"가기 싫어."

"아이참, 그날 무슨 일이 있었길래…. 초코야 오늘도 엄마랑…."

나는 얼른 하나에게 달려갔다. 그러고는 하나의 무릎에 목줄을 내려놓았다.

"초코는 너랑 산책하러 가고 싶나 봐."

"초코야…."

하나는 나의 부탁에 마지못해 산책을 나왔다. 하지만 공원에 가까워질수록 하나의 발걸음은 느려져 가기만 했다.

안타까운 마음에 나는 공원을 향해 달려갔다.

"멍멍!"

내가 갑자기 뛰는 바람에 하나는 손에 쥐고 있던 목줄을 놓쳐버렸다.

"앗!"

'하나야, 아직 후회하기엔 일러. 분명 네 진심이, 전해질 테니까…. 용기를 내 하나야!'

나는 마음속으로 하나를 응원하며 벤치에 앉아서 책을 읽고 있는 선우를 향해 달려갔다.

"…그래! 울기만 하며 지켜보는 건 이제 끝내자. 초코야. 응원해 줘서 고마워."

나의 마음이 전해진 것일까. 하나가 나를 따라 선

우에게로 다가왔다.

"저, 선우야…."

망설이며 선우의 이름을 부르는 소리를 듣고, 선우가 고개를 돌렸다.

"넌 늘 여기서 책을 읽더라. 저기…. 그, 그러니까, 너무 궁금해서…."

하나가 붉은 얼굴로 더듬거리자, 선우가 하나를 향해 한 걸음 더 내디뎠다.

"하나 너도, 항상 즐겁게 산책하더라."

"내, 내 이름을 알아?"

"물론이지."

운명의 순간은 누군가의 응원이 계기가 되는 경우도 있다.

"나도, 그동안 너랑 이야기해 보고 싶었어."

"뭐…?"

"널 만나고 싶어서…. 그래서 이 공원에 왔던 거야."

'하지만, 그 기회를 잡을지 말지는 본인이 선택하는 것. 하나야, 정말 잘 됐다.'

떨어져 있어도 우린 함께야

"꺄악!"

내 이름은 김채린. 피겨스케이팅 기술을 연습 중이다.

"채린아, 괜찮아?"

이 아이는 내 쌍둥이 여동생 김채원.

"응…. 그런데 또 점프에 실패했네."

"힘을 너무 많이 줘서 그래."

"어쩔 수 없지! 연습이나 계속하자!"

속으로는 조금 실망했지만, 아무렇지 않은 척 일어나며 힘차게 외쳤다.

"응!"

우리는 쌍둥이 자매다. 어릴 때부터 쭉 이곳에서 피겨스케이팅을 하고 있다.

꽈당!

"다시 한번 해보자!"

"채린이는 에너지는 넘치지만 착지할 때 자세가 꽤 흔들려."

내 옆에서 열심히 지적해 주시던 코치님이 반대쪽을 보더니 한숨을 내쉬었다.

"더블악셀은 공중에 떠 있을 때의 감각을 근력운동으로…."

"채원아, 자세히 알아보는 것도 좋지만 몸으로 직접 겪어봐야 익숙해지지."

"죄, 죄송합니다."

"어휴, 채원아 너는 그래서 문제라니까. 몸을 써야지, 몸을."

나는 이때다 싶어 채원이를 꾸짖었다.

"으, 응."

"대회도 얼마 남지 않았다! 둘 다 정신 바짝 차리자고."

"네!"

어릴 때부터, 이 링크에서 내내 함께 스케이트를 타 왔다.

나는 배시시 웃으며 채원이를 바라보았다.

우리의 꿈은 함께 시상식에 오르는 것. 둘이 나란히 시상대 위에 서 있는 것을 상상하니 가슴이 뛰었다.

* * *

"왜 이렇게 늦었어, 채린아?"

연습을 끝마치고 탈의실로 들어가 보니 채원이가 기다리고 있었다.

"요즘 점프 착지가 불안정해서."

나는 옷을 갈아입으며 고민을 털어놓았다.

"이대로 대회에 나가도 괜찮을까? 다른 동작들은 다 익힌 것 같은데."

"걱정하지 마, 채린아! 넌 웃으면 어려운 동작도 척척 해내잖아!"

"웃으면…?"

역시 내 마음을 알아주는 건 채원이뿐이었다.

"네가 응원해 주면, 난 뭐든지 할 수 있을 것만 같더라."

"나도! 너의 웃는 얼굴이 정말 좋아."

나의 칭찬에, 채원이가 미소 지으며 답해줬다. 그러더니 어떤 종이를 꺼내 들고서는 말했다.

"성공률을 높이기 위해서는 역시 근력운동이 중요해. 그래서 내가 계획표를 만들어 봤는데…."

채원이가 내민 종이에는 근력운동 종목들이 반듯하게 적혀있었다.

"우와, 빼곡해! 좋았어. 집에 가자마자 시작하는 거야!"

"오늘부터?!"

"응! 왜?"

"안 힘들겠어?"

"연습을 계속해도 모자란걸."

나와 채원이는 정말로 집에서 근력운동을 했다. 그것도 엄마가 자야 한다며 끌고 갈 때까지 아주 열심히 말이다.

'우리는 언제나 하나야! 둘이 함께라면 못 하는 게 없어!'

* * *

시간은 빠르게 흘러, 대회 당일이 되었다.

"출전 순서는 채린이 다음에 채원이다."

"네~!"

"힘이 넘치는구나…."

내 순서가 되자 나는 점퍼를 벗고 링크 중앙으로 갔다.

"채린아, 파이팅!"

나는 채원이의 응원에 대답하듯 밝게 웃으며 눈 옆에 브이를 만들어 보였다.

"서남 중학교, 김채린."

스피커에서 내 이름이 흘러나왔다. 노래가 시작되자, 나는 바로 동작을 시작했다.

촤앗!

"콤비네이션 점프 성공! 연습할 땐 계속 실수하더

니, 다행이네."

"미소도 환한 것 같아요!"

점프 착지에 성공한 뒤, 정신을 차려보니 벽 쪽에 붙어있었다.

'앗 기세 밀려 벽 쪽으로 너무 붙었어. 중심으로 돌아가야 해.'

그 순간 채원이는 보았다. 채린이의 미소가 사라졌음을.

나는 결국 그쪽에서 넘어지고 말았다.

"채린아!"

나의 그 뒤 연기는 그다지 성공적이지 않았다.

"채린이 녀석, 한 번 넘어진 후로 후반이 다 무너졌어."

내 연기가 끝나고 채원이가 링크에 들어갈 때, 채원이의 얼굴은 뻣뻣하게 굳어있었다.

'채린이도 실패했는데, 내가 잘할 리가 없어.'

"서남 중학교. 김채원."

'무서워.'

"더블 악셀이 싱글이 되어버렸다…."

"채원이가 너무 긴장한 것 같아요."

채원이는 너무 긴장한 나머지, 더블 악셀을 성공하지 못했다.

* * *

대회가 끝난 후, 코치님이 우리를 불렀다.

"이번 대회는 어땠니?"

우리는 대답하지 못하고 시무룩하게 고개를 푹 숙였다.

"난 너희에게 숨겨진 잠재력이 있다고 본다. 둘 다 더 높은 곳으로 가고 싶다면…."

코치님이 자신의 의견을 말했다.

"서울에 있는 유명한 코치 밑에서, 배워보는 건 어때?"

'서울?!'

나는 코치님의 이야기를 듣고는 뻣뻣하게 굳었다. 하지만 채원이는 궁금한 것을 물어봤다.

"집을 떠나야 하는 건가요?"

"그쪽으로 가면 더 많은 걸 배우고, 할 수 있게 될 거야. 부모님과도 한번 이야기해 봐라. 너희 미래가 걸린 일인데, 진지하게 생각해야지."

'미래….'

* * *

채원이는 요즘 다른 진로에 대해 관심이 많아졌다.

"이런 진로도 있구나…. 미래에 대해선 생각해 본 적이 없었는데."

오늘도 복도에서 진로 관련 책을 보던 중에 담임 선생님이 다가왔다.

"진로 관련 책이니? 오늘은 피겨 연습 없나 보네?"

"아, 선생님…."

"채원이는 공부를 잘하니까, 이제부터라도 공부에 전념하면 좋은 학교에도 갈 수 있을 거야. 대학 진학도 하고, 그러면 미래에 네가 고를 수 있는 선택지도 많아질 테고. 그쪽으로 궁금한 게 있으면 언제든 물어보렴."

"아, 네…."

'고향에서 진학한다면, 지금처럼 피겨를 계속할 수는 없겠지.'

"채원아!"

복도 반대편에서 같은 반 친구들이 부르는 소리가 들렸다. 학교 수업이 끝나서 어딘가로 가고 있는 모양이었다.

"어디가?"

"학원! 맨날 시험만 본다니까. 어휴. 내년엔 고교 입시가 있어서 더 그래."

"아, 그렇구나…."

점점 멀어져 가는 친구들의 생활을 생각하니 마음이 흔들렸다.

'내가 피겨 연습을 하는 동안 다른 친구들은 점점 나아가고 있구나. 서울로 가서 피겨를 계속해 봤자 나아지는 게 있을까? 내가 뭘 하면 좋을까?'

채원이가 진로에 대해 고민하고 있을 때, 나는 피겨장에서 열심히 연습하고 있었다.

'지금보다 더 잘하고 싶어! 하지만…. 서울에 가야

한다니…. 가족, 친구들과 헤어져야 해.'

콰당! 무리했더니, 다리에 힘이 들어가지 않았다.

'채원이는 오늘도 안 왔네…. 요즘은 스케이트 연습이 별로 즐겁지 않아.'

속상한 마음으로 집에 들어가 보니, 채원이가 소파에 앉아 책을 읽고 있었다.

"다녀왔습니다. 앗, 채원아! 너 지금 며칠째 연습을 빠지고 있잖아. 우리 이제부터 연습만 계속 해야 한다고!"

채원이의 표정은 비교적 어두웠다.

"넌 고민되지 않아?"

"…뭐?"

채원이가 탁하고 닫은 책은 진로 안내서였다.

"난 이대로 피겨를 계속하는 게 무서워. 채린이, 너도 요즘에 스케이트를 타면서 전혀 웃지 않잖아!"

그 말을 끝으로 채원이는 자기 방으로 들어가, 문을 쾅 닫았다.

"채원아!"

채원이가 방으로 들어간 뒤에 나는 생각했다.

'나도 채원이처럼, 현실을 똑바로 봐야 하는 걸까?'

채원이도 방 안에서 생각했다.

'난 채린이처럼, 앞만 보고 달리기가 무서워.'

난 기분을 달래기 위해서 텔레비전을 틀었다. 화면 속에서 피겨스케이팅 선수가 메달을 매고 환히 웃고 있었다.

중계 소리가 흘러나왔다.

[강유빈 선수, 쇼트 프로그램 1위 통과!]

"강유빈 선수, 오늘도 아름답다."

엄마가 두 손을 맞대며 감탄사를 내뱉었다.

'피겨스케이팅은 즐겁지만, 과연 저기까지 갈 수 있을까?'

피겨스케이팅이 왜 좋았던 걸까…? 어릴 때는 새로운 기술을 익힐 때마다 신나서, 그래서 연습이 즐거웠다. 실패해도 열심히 노력하자 마음먹을 수 있었던 이유는….

"웃어야지. 너라면 할 수 있어."

'옆에서 채원이가 늘 응원해 줬기 때문이야….'

나는 마음을 다잡고 채원이의 방문을 열었다.

"채원아. 난, 피겨 계속하고 싶어."
"그래? 난 자신이 없어졌어."
"그만둘 거야?!"
"채린이 넌 참 대단해."
"안돼!"
내가 채원이 어깨를 잡아당겨 내 눈을 똑바로 바라보게 했다.
"네가 없으면, 난 웃으면서 스케이트를 탈 수가 없어! 우리 둘이 함께 꼭 시상대 오르자, 응?!"
나는 채원이의 손을 꼭 잡았다.
"너와 함께하는 것이 아니면, 의미 없다고!"
내 진심을 들은 채원이의 눈에 눈물이 고였다.
"…생각해 볼게."

* * *

"채린이의 연기가 한결 부드러워졌어. 다음 시합은 문제없겠는데?"
코치님이 나를 보며 칭찬했다.

"채원이도 머리를 자른 후에 표정이 나아졌고."

그렇다. 채원이는 마음을 단단히 먹겠다며 머리를 잘랐다.

채원이의 기분이 나아져서 다행이라고 생각하고 있는데, 관객석 쪽에서 코치님이 우리를 부르는 소리가 들렸다.

"채린아, 채원아."

코치님이 우리를 나란히 세우며 말했다.

"어떻게 할지 결정했니?"

"저는…."

나와 채원이의 목소리가 겹쳐졌다.

"서울로 가겠어요. 피겨스케이팅 실력을 더 키우고 싶어요!"

"피겨스케이팅을 그만두겠어요. 공부에 전념해서 다양한 가능성에 도전해 보고 싶어요. 제가 정말로 원하는 꿈을 찾겠어요."

이것이 우리 둘의 선택….

* * *

그 뒤로 많은 일이 있었다. 나는 서울로 가서 피겨스케이팅 실력을 쌓고, 채원이는 좋은 대학에 가서 공부하고.

피겨스케이팅을 그만두지 않고 노력한 덕분에, 나는 유명한 선수가 되었다.

"채린아 수고했어."

대회를 무사히 마치고 경기장 밖으로 나가니, 반가운 두 사람이 기다리고 있었다.

"채원아! 코치님! 오랜만이에요."

나는 반가운 마음에 다가갔는데, 채원이는 잔소리만 해댔다.

"채린아, 또 점프 전에 박자가 빨라지더라. 나중에 꼭 녹화영상 확인해 봐. 그리고 후반에 원기가 떨어지는 게 눈에 띄었어. 내가 짜준 근력운동 계획, 매일 하는 거야?"

"윽! 여전히 깐깐하네."

"그래도 미소는 만점이었어!"

"정말?"

"응!"

채원이는 자신의 생활도 이야기해 주었다.

"나, 지금 대학교에서 스포츠 맨탈 트레이닝을 공부하고 있어."

"오, 과연 K대생."

"너에게 힘이 되어주는 것이 내 꿈이거든. 앞으로는, 우리 함께 꿈을 이뤄가자."

"당연하지!"

우정의 패스

탕탕! 체육관 바닥에 농구공 부딪치는 소리가 울렸다.

"아, 으아아."

내가 상대편 팀들에게 둘러싸여 곤란해하고 있는데, 뒤쪽에서 연우의 외침이 들렸다.

"예린아, 여기!"

"아, 네!"

나는 정신없이 연우에게 공을 던졌다.

"에잇!"

다행히 연우는 내 공을 안정적으로 잡아냈다. 연우는 내 공을 잡자마자 상대편 골대로 달려갔다.

"연우야, 이쪽!"

그 과정에서 우리 팀 주장이 연우에게 패스를 부탁했지만, 연우는 그냥 무시하고 계속 달려 나갔다.

자신 있게 공을 던진 연우의 공이 골대를 통과한 순간, 시합이 종료됐다.

"시합 종료!"

시합이 종료되자, 연우가 내 쪽으로 다가왔다.

"예린아."

"응?"

"제대로 패스해. 상대를 똑바로 보지 않고 던지면 공을 뺏기게 된다고."

연우가 내게 건넨 말은 역시나 잔소리였다. 나도 나름대로 열심히 한 거였는데, 위로는커녕 잔소리만 해서 기분이 상했다. 하지만 연우의 날 선 표정을 보자 나도 모르게 사과하게 됐다.

"미안해…."

'나도 열심히 한다고 한 건데. 그래도 연우는 재능이 있으니까….'

"에휴. 난 이대로 후보만 하다가 끝나는 걸까?"

나 자신에게 실망하고 있는데, 출입구 쪽에서 또 다른 목소리가 들려왔다. 우리 팀의 주장이었다.

"연우야, 잠깐만. 아까 플레이, 너무 네 중심적인 거 아니야?"

"제가 공을 가지고 뛰는 게 유리하다고 생각한 건데요."

연우는 주장의 이야기를 들으면서도 무표정이었다.

"주장으로서 한마디 할게. 아무리 실력이 좋다지만 이런 식으로 배려를 안 한다면, 주전으로서 실격이야."

그때, 잠시나마 연우의 눈동자가 흔들렸다. 이기적일지 모르지만, 나는 희망을 보았다.

'연우가 주전에서 빠지면, 주전이 한자리 비게 된다…. 좀 더 열심히 해서 실력이 늘면 나도 주전이 될 수 있을지 몰라.'

나는 주먹을 불끈 쥐었다.

"내일 아침부터 혼자 연습해야지!"

* * *

다음날, 나는 아침 일찍 일어나, 체육관으로 향했다.

"졸리긴 하지만 열심히 하자!"

'이렇게 아침 일찍부터 연습하는 건 나뿐이겠지.'

하지만 내 예상과는 다르게 체육관에서 농구공 튕기는 소리가 들려왔다.

'우왓. 벌써 누가 온 거야…?'

나는 조심스럽게 체육관 안을 들여다보았다. 놀랍게도 안에서 연습하고 있는 건 연우였다.

"연우?!"

내 목소리를 들은 연우가 나를 바라보았다.

"아, 안녕. 오늘부터 아침 연습해 보려고…."

"…난 예전부터 항상 하고 있었어."

난 농구복으로 갈아입으며 놀라워했다.

'연우는 연습 같은 거 안 해도 원래 잘하는 줄 알았는데…. 사실은 이렇게 열심히 하고 있었구나.'

"좋았어! 나도 열심히 해야지!"

나는 주먹을 불끈 쥐고 농대로 농구공을 드리블하며 다가갔다.

"아앗!"

하지만 얼마 되지 않아 공을 놓치고 말았다. 나는 부끄러워서 얼른 공을 주웠다.

이번에는 그냥 농구대 앞으로 가서 공을 넣는 연습을 했다.

하지만 역시나 공은 들어가지 않았다.

"한 번 더!"

그때 뒤에서 연우가 내 팔을 잡았다. 그러더니 공을 넣을 수 있도록 자세를 잡아 주었다.

"그런 자세로는 백날 해 봤자 안 들어가. 좀 더 이렇게…."

나는 연우가 잡아 준 자세 그대로 공을 던져보았다. 촤악! 공이 골대를 통과했다.

"들어갔다! 세상에~! 들어갔어!"

연우가 희미하게 웃으며 대답했다.

"응"

"알려줘서 고마워!"

"내, 내가 뭘! 그냥 답답해서 그런 거야!"

내 진심 어린 말에 연우가 볼을 붉혔다.

* * *

그날 이후로, 나와 연우는…. 매일 아침 함께 연습하게 되었다. 거의 연우가 나를 가르치는 느낌이긴 하지만….

"거기서, 좀 더 빨리!"

"응!"

"넌 드리블할 때 주위를 살피지 않더라! 그러니까 공을 계속 빼앗기는 거야!"

"고칠게!"

'겉은 차가워 보이지만 사실은 항상 다른 선수들을 지켜보고 있었구나. 하지만 연우는 여전히, 주장과 대립 상태….'

"연우야! 그렇게 혼자 뛰어가지 말라고! 내 말을 이해 못 하겠어?!"

"혼자서도 성공할 수 있을 것 같았어요!"

"……!"

주장과 싸울 때마다, 연우의 표정에는 서운함이 묻어있었다. 하지만 나는 그 사이에 낄 용기를 낼 수 없었다.

'연우에 대해 알기 전엔 잘 몰랐지만, 연우는 그저 사람들을 다정하게 대하는 게 서툰 거야. 내가 도와줄 수 있지 않을까…?'

연우를 도와주고자 다짐한 나는 준비운동을 하던 연우의 곁으로 다가갔다.

"연우야, 있잖아. 네 농구 실력은 정말 최고야. 하지만 팀워크도 중요하잖아."

"…응, 알아. 그런데 우리 팀이 이겼으면 하는 마음에, 혼자 너무 열심히 하다 보니 그만…."

"이제 그만해!"

결국 연우가 또 주장과 싸우고 말았다. 아니, 이번에는 거의 농구부 아이들 전체가 일방적으로 몰아가는 듯했다.

"왜 그렇게 팀플레이를 못 하는 거야?"

"네가 자꾸 그런 식이면 우리가 힘들어."

"함께 플레이한다는 느낌도 안 들고."

"더는 못 참아. 감독님께 널 주전에서 빼자고 말씀드릴 거야."

농구부 아이들은 그 말을 끝으로 연우를 떠나 버렸다. 그러고는 연습경기를 시작했다.

"자, 수비! 정신 바짝 차려!"

"패스, 패스!"

아이들이 열심히 뛰어다니는 동안 연우는 혼자 멍하니 서 있었다.

'연우 혼자 고립됐다….'

나는 너무 안타까운 마음에 주장에게 가서 물었다.

"주장, 정말로 주전에서 연우를 뺄 건가요?"

"다른 방법이 없잖아."

주장도 조금은 안타깝다는 표정으로 대답했다. 나는 연우 쪽을 힐긋 바라보고서는 외쳤다.

"그럼…. 제 플레이를 봐주세요!"

순간 나의 당당한 외침을 들은 아이들이 술렁였다. 하지만 주장만은 내 말을 진지하게 들어주었다.

"…그럼, 예린이를 넣어 시합해 보자."

갑작스러운 제안에 연우도 당황하는 듯했다.

"연우야, 아침 연습 때처럼 하는 거야."

"예린아…."

그렇게 나를 넣은 상태로 경기가 시작되었다.

삐익! 시작을 울리는 호루라기 소리가 경기장에 울려 퍼졌다.

시작하자마자 연우가 상대편에게서 공을 빼앗았다. 그러고는 나와 눈을 마주치고는 공을 패스했다.

"예린아!"

나도 최선을 다해 공을 잡고는 상대에게 길을 가로막히자, 바로 연우에게 공을 패스했다.

"연우야!"

연우는 공을 잡고는 바로 골대에 던져 넣었고, 우리는 기쁨의 손뼉을 마주쳤다.

"나이스 슛!"

그 모습을 본 아이들이 하나둘 연우 곁으로 다가왔다.

"연우야, 패스할 줄 알잖아? 예린이도 어느새 실력이 늘어난 데다가 연우의 멋진 플레이를 만들어 내다니 정말 대단해!"

"사실은 둘이 함께 아침에 연습했어요…. 연우가 함께 연습해 줘서 많이 늘었어요. 연우야 고마워!"

"나야말로 너한테 팀플레이의 소중함을 배웠는 걸…."

* * *

그렇게 시간이 지나 어느덧 정식 경기 날이 되었다.

"연우야!"

주장이 연우에게 공을 패스했다.

"달려~!"

"힘내라~!"

나는 다른 아이와 함께 대기석에 앉아 경기하는 아이들을 응원하고 있었다.

"선수교체!"

선수를 교체하라는 방송이 나오자, 연우와 아이들이 나를 불렀다.

"예린아!"

"네!"

나는 그 부름에 답하듯 경기장으로 뛰쳐나갔다.

'모두 함께 플레이한다는 게 이렇게나 즐거운 거였다니…. 그때 용기 내기를 잘했어!'

그때의 선택 덕분에 지금 이렇게 즐거울 수 있는 거다. 과거의 나야, 고마워!

내가 좋아하는 사람은…
① 태윤 엔딩

내 이름은 장소원. 테니스부 소속이자 도서 위원이다. 취미는 연애소설 읽기. 가끔은 내가 주인공이 되는 상상을 하기도 한다.

"소원아, 네가 좋아. 나와 사귀어줘."

'물론 그런 꿈 같은 일이 실제로 일어날 리 없지만…. 소설처럼 운명적인 사랑을 할 수는 없는 걸까….'

* * *

방과 후에 부원들과 테니스 연습을 하고 있는데, 갑자기 비명이 들려왔다.

"꺄악! 태윤 선배!"

테니스장에 막 들어온 태윤 선배 주변에는 여자아이들이 모여 있었다. 1학년부터 3학년까지 전부 다.

"안녕, 태윤아. 다음 시합에도 응원하러 갈게."

"나도!"

'오늘도 선배의 인기는 하늘을 찌르는구나….'

김태윤. 우리 학교의 2학년 인기남이었다. 어딜 가든 눈에 띄는 외모 덕분에 선배가 가는 곳이면 항상 여자아이들이 몰려있었다.

"뭐야, 너. 사람 얼굴을 빤히 보고."

'아차, 너무 바라봤나?'

"아, 안녕하세요, 선배!"

태윤 선배가 내게 다가왔다.

'아, 너무 멋있다!'

"응, 오늘도 나 보러 온 거지?"

그 말에 나는 얼굴이 달아올랐다.

'뭐지, 이 자신만만함은? 그래도 멋있지만….'

그런데 태윤 선배와 대화하고 있는 내가 미웠던 건지, 뒤에서 누군가가 나를 미치고 지나갔다.

"아, 미안~!"

"…!"

내가 넘어질 듯이 휘청거리자, 태윤 선배가 내 어깨를 잡아 주었다.

"조심해야지. 괜찮아?"

"아, 네…."

나는 나름대로 표정을 관리하려고 했지만, 얼굴은 이미 아까보다 한 단계 더 빨개진 상태였다. 우리를 지켜보고 있던 아이들은 나를 부러워했다.

"부럽다~!"

"꺄아!"

"좋겠다!"

하지만 나는 그 아이들에게 신경 쓸 시간이 없었다. 날 잡아 준 선배에게 감사 인사를 해야 하니까.

"고맙습니다…. 앗."

나는 감사 인사를 하다가 말고 선배의 손을 가만히 바라보았다.

'선배 손…. 테니스 연습을 하느라 굳은살이 잔뜩 박였어…. 그러고 보니, 선배는 아침 연습 때도 엄청

일찍 오고, 주말에도 혼자서 연습하지.'

"그 손…. 대단하네요, 선배."

선배는 갑작스러운 내 말에 웃음을 터트리며 대답했다.

"응? 이 정도는 기본인데?"

"저도 열심히 노력해야겠어요."

'선배가 자신만만하고 눈부신 건, 늘 노력하기 때문이구나…. 나도, 선배와 함께 노력하고 싶어!'

* * *

다음날, 수업이 끝나고 친구들과 나는 함께 체육관으로 향했다. 비가 와서 야외 테니스장에서 연습할 수 없기 때문이다.

친구들과 체육관에 가서 스트레칭하고 있는데, 3학년 선배들이 태윤 선배의 험담을 하는 소리가 들렸다.

"태윤 녀석 말이야, 좀 건방지지 않냐?"

"내 말이!"

“아침에도 말이야, 호들갑 떠는 여자애들한테 손이나 흔들잖아!”

“좋겠다. 고생이라곤 모른 채 뭐든지 가지는 놈은.”

그 험담을 들은 내 친구들은 그 선배들의 험담을 하기 시작했다.

“흥! 자기들이 인기 없다고 인기 많은 사람 험담을 한다니.”

“그러니까.”

친구들은 나도 같이 험담하면 좋겠다고 생각하는 것 같았다. 하지만 생각과 달리 내가 가만히 시무룩한 표정을 짓자, 갑자기 나를 걱정했다.

“소원아?”

친구들이 나를 불렀지만 나는 못 들은 것처럼 행동하며 태윤 선배의 험담을 하는 선배들에게 갔다.

“저기…! 태윤 선배는 정말 열심히 노력하고 있어요….”

툭. 내 어깨가 뒤에 서 있는 누군가와 부딪혔다.

‘툭?’

“내가 어쨌다고?”

태윤 선배였다. 아마 지금까지의 대화를 모두 들은 모양이었다.

'선배…!'

태윤 선배의 등장에, 험담하던 선배들은 후다닥 자신의 자리로 돌아가 앉았다.

"헉!"

"우리도 연습하자!"

선배는 나를 그 자리에 앉혔다.

"너도 연습에 집중해, 장소원."

선배는 장난스럽게 대꾸했다. 그러고는 내 등을 누르기 시작했다.

"아야야야야!"

나는 갑작스럽게 들이닥친 스트레칭에 어쩌지도 못하고 가만히 있었다. 그렇게 계속 등을 누를 것 같았는데, 갑자기 선배가 나에게 작게 속삭였다.

"…고맙다."

그 말을 들은 내 얼굴이 화끈 달아올랐다. 부끄러운 마음에 나는 변명을 하며 체육관을 뛰쳐나갔다.

"교실에 두고 온 게 있어서 잠깐 갔다 올게요!"

교실에 들어간 나는 의자에 쓰러지듯이 앉아 생각을 정리했다. 긴 고민 끝에 결론 내린 것은….

'어떡하지? 나, 태윤 선배를 좋아하나 봐….'

나는 그 마음을 어떻게 하면 좋을지 한참을 생각하다가, 결국 고백을 하기로 마음먹었다.

* * *

나는 테니스부 활동이 끝나고, 나와 태윤 선배를 뺀 나머지가 전부 테니스장을 나가자마자 태윤 선배에게 다가갔다.

"선배!"

"장소원…?"

"저…."

나는 조금 망설이다가 결국엔 말을 내뱉었다.

"선배처럼 열심히 연습해서 테니스 실력을 키울 거예요. 좋아해요…. 테니스도, 선배도…."

내 말을 들은 태윤 선배는 살짝 웃더니, 나를 데리고 테니스 코트로 들어갔다.

"오늘은 나랑 한번 연습해 볼래?"

"…네!"

'이건…. 내 고백을 받아준 거겠지? 선배를 좋아하게 되면서, 최선을 다하는 것이 얼마나 중요한지 알게 된 것 같아. 언젠간 나도 선배 옆에 당당하게 설 수 있겠지?'

내가 좋아하는 사람은…
② 정우 엔딩

띠링띠링.

'어? 이게 무슨 소리지?'

띠링띠링.

"헉!"

나는 급하게 침대에 일어나 시계를 확인했다. 8시. 시계는 정확히 8시를 가리키고 있었다.

'안돼! 이대로 가면 지각이다!'

나는 급하게 준비하고 집을 나왔다.

딩동댕동. 학교 종이 쳤다. 그와 동시에 내가 교실로 들어갔다.

"하아, 하아…."

나는 얼른 내 자리로 가서 의자에 쓰러지듯이 주저 앉았다. 그 모습을 보고 내 짝꿍 정우는 혀를 찼다.

"쯧쯧. 이제야 왔냐?"

"응…."

"빨리빨리 좀 다녀."

"그렇지만 잠에서 깨기가 쉽지 않다고."

그때 갑자기 담임 선생님이 들어오셔서 우리의 대화는 끊어져 버렸고, 덕분에 우리는 1교시가 끝나고 쉬는 시간에나 이야기를 나눌 수 있었다.

"아, 맞다. 소원아, 어제 올라온 뮤비 봤냐?"

"응! 봤지, 봤지! 진짜 멋있더라. 완전히 감동했어."

내가 어제 본 뮤비의 칭찬을 늘어놓고 있는데, 정우의 목소리가 들리지 않아, 말을 멈추고 옆을 돌아보았다.

"…정우야?"

정우는 나를 빤히 바라보고 있었다. 내 말을 듣지도 않은 것 같았다. 그러더니 다시 입을 열었다.

"뭐야~! 꽃미남에 낚인 거야?!"

"아니야! 자신보다 옛날 동료들을 위해 싸우는 게 멋있는 거라고."

내가 그렇게 대꾸하자, 정우가 나를 휙 돌아보며 활짝 웃었다.

"그거지!"

"그렇다니까!"

'정우와는 취미가 잘 맞아서, 가끔 짓궂게 굴긴 해도, 마음 편히 대화할 수 있는 것 같아.'

나는 우리를 그냥 친구 사이라고 생각했지만, 다른 아이들의 생각은 좀 다른 것 같았다.

"정말 사이좋네. 둘이 사귀는 거야?"

"뭐?"

우리는 동시에 대답했다. 이런 상황이 익숙했기 때문이다.

"그런 거 아니라니까."

* * *

시간이 지나, 내가 싫어하는 영어 시간이 되었다.

"장소원, 나와서 40페이지 영어 문장 해석해 봐라."

"네…."

'아악! 왜 하필 나야! 난 영어에 약한데!'

머릿속으로 절망하고 있는데, 누군가가 던진 종이 쪽지가 내 머리를 맞췄다. 정우가 나에게 던진 것이었다.

나는 얼른 쪽지를 펼쳐보았다. 쪽지 속에는 선생님이 해석하라고 한 영어 문장을 해석한 것이 적혀있었다.

내가 고마운 마음에 정우를 바라보자, 정우가 내게 속삭였다.

"틀릴지도 모르지만, 그래도 없는 것보단 낫잖아."

"응, 고마워!"

'말은 퉁명스럽게 하지만, 이렇게 상냥할 때도 있단 말이야.'

그렇게 나는 정우 덕분에 선생님께 혼나지 않고, 영문 해석 발표를 무사히 마칠 수 있었다.

"…이상입니다!"

"잘했다."

나는 발표가 끝난 뒤, 정우에게 한 번 더 감사 인사를 했다.

"고마워."

"뭘."

* * *

테니스부 활동이 끝나고, 교실에 놓고 온 가방을 가지러 갔을 때였다.

교실 안에서 대화 소리가 들려왔다.

"미안하지만, 싫어."

정우와 옆 반의 여자아이였다.

"난 '일단 사귀어 보자'라는 게 무슨 뜻인지 잘 모르겠어."

나는 정우의 말에 놀라서 기둥 뒤에 숨었다. 남의 말을 엿듣는 꼴이 된 것이다.

"…하지만."

"마음이 잘 맞는 녀석과 취미 얘기하며 노는 게 더 재밌어. 굳이 연애해야 한다면 그런 화제에 낄 수 있는 녀석이 좋고."

여자아이에게 그런 말을 하는 정우는 무척 진지해 보였다.

"그래, 알겠어…."

그런 정우를 설득할 수 없다고 생각했는지, 여자아이는 교실을 뛰쳐나왔다.

'이제 어떡해야 하지…? 아무것도 못 들은 척 교실로 들어가야 하나?'

내가 교실 밖에서 어쩌지도 못하고 있는데, 정우가 나를 불렀다.

"장소원, 크게 신경 쓸 것 없어."

정우는 처음부터 내가 온 것을 알고 있는 모양이었다.

"미안! 이만 가 볼게."

나는 깜짝 놀라서 그냥 집으로 가려고 했다. 그런데 갑자기 정우가 내 손목을 잡았다.

"잠깐만."

나는 당황하며 정우를 바라보았다.

"너…! 혹시…."

정우가 무슨 일인지 망설이며 말했다.

"너도 좋아하는 녀석이…."

정우는 말을 꺼내다가 그만두었다.

"…아니, 됐다."

"그, 그래. 내일 보자."

"응."

내게 인사를 하는 정우는 다시 평소대로 돌아온 것 같았다.

'방금…. 뭐였지? 혹시 내가 좋아하는 사람을 물어보려는 거였나? 내가 좋아하는 사람이…. 누구지?'

그런 생각을 하자, 머릿속에 정우의 얼굴이 그려졌다.

"내가 무슨 생각을…!"

내 얼굴이 빨갛게 달아오르는 것을 느낄 수 있었다.

'…나, 정우 좋아하나 봐.'

* * *

"정우야, 안녕…."

"응."

"아 참, 정우야."

"응?"

"여기, 티켓 2장, 당첨됐어."

내가 티켓 2장을 내밀자, 정우는 어리둥절한 표정을 지었다.

"이번에 소극장 라이브 한다는데, 같이 가지 않을래?"

정우는 아무 대답도 하지 않았다.

"내가 이렇게 음악 얘기를 할 수 있는 건 너뿐인걸…."

하지만 내가 활짝 웃으며 이렇게 말하자, 정우도 밝게 웃으며 대답했다.

"가야지. 당연하잖아."

'정우와 얘기하는 게 제일 즐거워. 애쓰지 않고도 진정한 나 자신으로 있을 수 있으니까. 그래서 더 함께 있고 싶고, 정우에 대해서 더 알아가고 싶어!'

내가 좋아하는 사람은…

③ 민기 엔딩

학교가 끝나고, 나는 도서관으로 달려갔다. 나는 테니스부 활동을 하지만, 방과 후에는 도서 위원회 활동도 하기 때문이다.

'사랑 이야기는 재밌어~!'

나는 도서 위원회 일을 하다가, 틈이 날 때마다 사랑 이야기가 나오는 소설을 읽는다.

오늘도 나는 도서관에 들어가자마자 아무도 없는 것을 확인하고는 소설들을 골라서 책상 위에 쌓아 놓았다.

그러고는 첫 번째 책을 펼치려고 할 때였다.

"수고 많으십니다. 소원 선배."

내 후배인 민기였다.

"민기야!"

민기는 내게로 오더니, 책을 한 권 집어 들었다. 내가 읽으려고 쌓아둔 책이었다.

"아, 이거 요즘 인기 있는 소설이네요. '우리들의 로맨스'. 이건 '너를 좋아했던 과거…'. 사랑을 주제로 정리하는 거예요?"

나는 그게 내가 읽는 책인 것을 들킬 것 같아서 대충 얼버무렸다.

"그, 그래 맞아. 빌리고 싶은 사람을 위해 얼른 책장에 꽂아 둬야지."

나는 얼른 책을 정리하고 자리를 피해야겠다고 생각했지만, 민기는 그렇지 않은 모양이었다.

"제가 도와줄게요."

"어? 그러지 않아도 되는데?"

"선배는 항상 열심이잖아요. 너무 무리하지 말아요."

내가 민기를 바라보자, 민기가 활짝 웃었다.

"아침 일찍부터 테니스부 연습도 있으면서…. 얼마

전에도 아픈 후배를 대신해서 도서 위원회 일했잖아요.”

‘민기야….’

“그래서 선배가….”

민기가 잠깐 머뭇거리는 듯하더니 말을 이었다.

“선배가 존경스러워요.”

그런 말을 하며 부끄러워하는 민기가 귀여워 보였다.

“고마워~!”

‘위로된다…. 남자아이인데 어쩜 이렇게 귀여울까.’

난 그렇게 생각하며 민기의 머리를 쓰다듬었다. 민기의 머리를 쓰다듬고 있으면, 왠지 쌓인 피로가 전부 사라지는 것 같았다.

그런데 어쩐지 민기의 표정은 좋지 않아 보였다.

“…?”

“이런 거, 하지 말아줄래요?”

민기는 그렇게 말하며 내 손을 살며시 내렸다. 나는 민기의 말을 듣고는 민망해져서 얼른 사과했다.

“아, 미안….”

“아니에요. 저한테 좀 더 의지해도 된다는 거였어요.”

"응…. 내일부터는 그럴게."

시간을 보니 벌써 도서관 문 닫을 시간이 다 되어 있었다.

"그럼, 오늘 위원회는 이걸로 끝. 수고했어."

'나도 민기한테 좋은 선배가 되고 싶어.'

민기와 함께 도서관을 나왔다. 그런데 복도가 다른 날보다 훨씬 어두웠다. 이상하다고 생각하며 창밖을 내다보자, 그 이유를 알 수 있었다. 날씨가 금방이라도 비가 내릴 것처럼 우중충했다.

"아…. 비가 올 것 같네. 민기야, 빨리 가는 게 좋겠어."

내가 민기에게 얼른 가라고 했지만, 민기는 어리둥절해하며 나를 걱정했다.

"선배는요?"

'이 귀여운 녀석.'

난 민기에게 다정하게 미소 지어 보였다.

"난 아직 다른 동아리가 남아서. 집에 갈 때는 비가 오지 않아야 할 텐데. 조심히 가!"

그렇게 말하며 나는 미술실로 달려갔다.

"이크, 엄청나게 쏟아진다."

* * *

미술부 활동이 끝나고 학교 밖으로 나오자, 나는 절망했다.

"어떡하지? 아직도 비가 많이 내리네."

내가 걱정하며 비가 내리는 것을 가만히 바라보고 있는데, 내 눈앞에 누군가가 나타났다. 민기였다. 민기는 빗속에서 우산을 쓰고 있었다.

"어라…? 왜 안 가고 여기 있었어, 민기야?"

"저요? 아, 교실에 남아서 예습했어요. 선배랑 얘기하다 보니, 저도 더 열심히 해야겠다는 생각이 들어서."

말을 끝낸 민기는 말없이 나를 바라보았다. 그러더니 나보다 먼저 입을 열었다.

"선배, 기왕 이렇게 된 거 같이 우산 쓰고 가지 않을래요?"

"괜찮아. 그러다가 네가 다 젖을 텐데. 난 그냥 뛰어가면 돼."

내가 괜찮다며 거절하자, 민기는 내 손에 우산을 쥐여주고는 사라져버렸다.

"그럼, 선배가 이거 쓰고 가요. 감기 걸리지 않게 조심하고요."

"어…?"

'뭐지? 일부러 날 기다린 건가?'

민기가 일부러 날 기다린 걸지도 모른다고 생각하자, 너무나 고마웠다.

* * *

다음날, 난 민기를 만나기 위해서 도서관으로 갔다. 민기는 역시나 도서관에 있었다.

"민기야! 이거! 어제 빌린 우산, 잘 썼어."

나는 민기에게 우산을 내밀었다.

"혹시 감기 걸리지 않았어? 친절한 것도 좋지만, 네 건강도 잘 챙겨."

그렇게 말하며, 또 습관적으로 손이 민기의 머리로 올라갔다.

"선배, 혹시 나를 남동생쯤으로 생각하는 것 아니에요?"

민기가 내게 다가왔다.

"내가 친절하게 대하고 싶은 건 선배뿐인데…."

내 심장이 두근거렸다.

'모두에게 친절하고, 귀여운 후배라고만 생각했는데….'

"소원 선배…."

'동생이라면, 이렇게 설레지 않겠지.'

"좋아해요. 나와 사귀어 주세요."

"응!"

'설레는 만남은 항상 곁에 있었구나. 내게 딱 맞는 사랑을 찾은 거야.'

솔직한 마음

“어때, 규리야?”

“와아! 귀엽다!”

내 이름은 김규리. 초등학교 5학년이다. 지금 우리는 학교가 끝나고 함께 문구점에 와있다.

“얘들아, 우리 색깔만 다르게 해서 똑같은 열쇠고리로 사자.”

나리가 갈색 곰돌이 인형 열쇠고리를 들어 올리며 말했다.

“그거 좋은 생각이다, 나리야!”

“그럼 난 핑크 곰돌이로 할래.”

단아가 잽싸게 말했다.

"으음…. 그럼 난…."

'사실은 나도 핑크가 좋은데…. 그러면 단아랑 겹치게 되잖아.'

"나, 난 파랑으로 할게!"

나는 내 속마음을 감추고 대답했다. 그러자 나리가 외쳤다.

"이제 이 인형 열쇠고리는 우리 삼총사의 마스코트야!"

* * *

그 뒤로 시간이 흘러 우리의 6학년 반 배정 날이 되었다. 내가 내 반을 확인하고 있는데, 나리와 단아가 다가왔다.

"규리야, 넌 몇 반이야?"

"1반…."

"그래? 우린 5반."

그렇게 말하는 단아의 표정은 시무룩했다.

"반이 갈라져 버렸네."

분위기가 가라앉자, 나리가 책가방에 달린 열쇠고

리를 가리키며 긍정적으로 말했다.
"그래도! 우린 영원히 친구야!"
나리의 한마디에, 모두의 표정이 밝아졌다.
"응!"

* * *

하지만 반이 갈라진 뒤로 우리는 점점 멀어지는 것 같았다.
"그런데, 그때…."
"민주가 선생님께…."
"맞아, 그랬지!"
학교가 끝나고 집에 갈 때도, 나리와 단아가 얘기하는 동안, 나는 할 말이 없었다.
"…."
'나리도, 단아도 나만 모르는 이야기만 하고…!'
내가 아무 말도 못 하고 있다는 것을 알아차린 건지, 나리가 내게 사과했다.
"아, 규리야 미안!"

"어쩌다 보니 우리 반 이야기만 했네."
"아니야…."
"넌 새 반에서 친구 좀 만들었어?"
"응…. 그럭저럭."
'…라고는 했지만, 사실은 한 명도 못 사귀었어.'
집에 온 뒤에도 나는 기분이 상해서 축 늘어져 있었다.
"그래도…."
나는 책상 위에 놓여 있는 달력을 바라보았다. 4월 23일에 동그라미가 처져 있었다. 그리고 그 아래에는….
'나리, 단아와 함께 놀이공원'
"기대된다…."
나는 기대하고 그날만을 기다렸다. 하지만, 다음날 나는 충격적인 소식을 듣고 말았다,
"뭐?"
"그래서, 우리 반 리아랑, 라은이도 부르려고 하는데, 괜찮지?"
나는 기분이 좋지 않았는데, 나리와 단아는 아무렇

지도 않게 말했다.

"이참에 너도 너희 반 친구 부르지 그래?"

"그래, 그게 좋겠다! 다 같이 가자."

'이럴 수가! 난 셋이서만 가고 싶었는데….'

* * *

그렇게 놀이공원에 가는 날이 되었다.

'결국 난 아무도 부르지 못했어.'

나리와 단아는 친구들과 함께 신나게 이야기하고 있었다.

"얘들아, 이번엔 저거 타자."

나리의 제안을 듣고도 내가 멍하니 서 있자, 나리가 다가와서 귓속말로 물었다.

"규리야, 재밌니?"

'…아.'

나는 나를 걱정해주는 나리가 고마워, 웃어 보이며 대답했다.

"응, 재밌어!"

그렇게 계속 시무룩한 기분으로 놀이공원에서 놀다가 단아가 한숨 쉬는 것을 보게 되었다.

"단아야, 왜 그래?"

"그게…. 사람이 많은 것도 좋긴 하지만, 조금 피곤해서."

단아가 내게 조용히 속마음을 털어놓았다.

"나리야 원래 밝은 성격이니, 즐거워 보여서 다행이지만…."

단아의 이야기를 듣고, 나도 수긍했다.

"아, 무슨 말인지 알겠어. 좀 그렇지."

"응."

나와 단아는 마주 보고는 빙긋 웃었다. 그때, 5반 아이들이 우리에게 외쳤다.

"미안! 우리 화장실 좀 갔다 올게."

그 말을 들은 단아도 아이들을 따라나섰다.

"아, 나도 갈래!"

"기다릴게!"

아이들이 모두 화장실에 가자, 나리와 나, 이렇게 둘만 남게 되었다.

어색한 긴 침묵 끝에, 나리가 먼저 입을 열었다.

"…그나저나, 이렇게 여럿이 모여서 노니까 좋다. 오길 잘했어."

하지만 나는 나리의 말을 듣지 않고 있었다.

'아까 아름이가 한 말을 나리가 알게 된다면 어떨까. 나리도, 단아도 자기 하고 싶은 대로만 하고….'

나는 처음 느껴보는 서운함에 결국 부정적인 생각을 하고 말았다.

'두 사람의 사이가 멀어지면 좋을 텐데.'

"그러게. 그런데, 단아는 너 때문에 피곤하다고 하더라."

"…뭐라고?"

내 말에 나리는 많이 충격을 받은 것 같았다.

"어쩜, 너무해! 그런 생각을 하고 있었다니!"

내가 말해준 이야기 때문인지, 집으로 가는 지하철에서도 나리와 단아는 아무런 대화도 하지 않았다.

* * *

그렇게 놀이공원을 다녀오고 난 뒤, 우리는 학교에서 보게 되었다.

"아! 얘들아, 안녕!"

내가 둘에게 인사했지만, 나리와 단아는 인사를 받아주지도 않고 가 버렸다.

'아…. 나 때문에 정말 싸웠나 봐…. 하지만 원인은 두 사람한테 있으니, 내 잘못은 아니잖아.'

"나리야!"

나는 얼른 예전 사이로 돌아가고 싶은 마음에, 나리를 불렀다.

"저기, 단아 말이야…. 용서해 줘…."

"응. 알았어. 고마워."

나는 나리의 대답에 안심하며 교실로 돌아갔다.

'이제 다시, 예전으로 돌아갈 수 있을 거야….'

하지만 다음날, 친구들의 가방을 본 나는 경악했다. 우리들의 우정 증표인 열쇠고리가 없었기 때문이다.

'세상에…! 우정의 증표로 샀던 열쇠고리가 없어! 설마, 두 사람….'

"나리야! 단아야!"

나는 너무 놀라서 다급하게 친구들을 불렀다.

"혹시 놀이공원 때 일로, 아직 화해하지 않은 거야?"

나는 걱정스러운 마음으로 물어본 거였는데, 친구들은 왜인지 나를 노려보았다. 그러더니 나리가 먼저 입을 열었다.

"아아, 그 일이라면 단아에게 미안하게 됐다고 반성하고 있어. 그보다…."

나리가 잠깐 말을 멈추더니, 이번에는 나리와 단아가 동시에 외쳤다.

"왜 나리한테 고자질한 거야? 너도 피곤하다고 했으면서!"

"규리 너 정말 너무해! 혼자서만 착한 척…."

난 둘의 가시 돋친 말에, 멍하게 서 있었다. 내가 말이 없는 것을 보고, 나리가 다시 입을 열었다.

"단아가 그런 생각을 했다는 건 충격이었지만, 나중에 솔직하게 말해줬어. 하지만, 넌 우리 둘 모두에게 거짓말을 했잖아."

나는 감정을 억누르다가 결국 소리치고 말았다.

"나쁜 건 너희들이잖아! 이제 너희는 친구도 아니야!"

내가 소리치자, 나리가 당황스럽다는 듯이 말했다.

"뭐야, 갑자기…."

"갑자기 그러는 게 아니야! 둘 다, 내가 모르는 이야기만 하고…."

처음에는 그냥 화가 나서 소리쳤던 건데, 계속 말하다 보니 속마음이 술술 나왔다.

"놀이공원도 사실은 셋이서만 가고 싶었는데, 결국 나만 겉돌고."

"그건…!"

내 말을 들은 나리와 단아는 나에게 변명했다.

"네가 새 반에 적응하지 못하는 것 같기에…. 우리 반 아이들과 친하게 지내면 좋을 것 같아서 그런 거야…!"

"규리 너, 늘 우리 눈치만 봤잖아."

"솔직하게 말해줬으면 좋았을 텐데…."

"우리도 서운했어…."

나는 친구들과의 오해를 풀자, 눈물이 날 것만 같았다.

* * *

그 후로 나리, 단아와는 어울리지 않게 되었다. 하지만 새 반에서 새로운 친구를 사귀게 되었다.

그리고 그 친구들과도 문구점에 오게 되었다.

"이거 귀엽다!"

채원이가 분홍색 하트 모양 열쇠고리를 들어 올리면서 말했다.

"각자 다른 색깔로 사자."

이번에는 지안이가 제안했다. 그러더니 갑자기 생각났다는 듯이 우리에게 말했다.

"그러고 보니 5반은 열쇠고리 금지라더라."

"정말? 우리 반은 상관없는데…."

나는 지안이의 말을 듣고 깜짝 놀랐다.

'뭐…? 그럼, 그건 우정이 깨졌다는 의미가 아니었구나.'

내가 나리, 단아와의 일을 떠올리고 있는데, 채원이가 내 앞에 분홍색 하트 열쇠고리를 들이밀었다.

"난 이 색깔로 할래. 규리, 넌?"

나는 그 열쇠고리를 바라보며 밝게 대답했다.

"나도, 같은 색깔로 할래!"

그러자 채원이도 웃으며 말했다.

"그것도 좋겠다! 그러자!"

'아아, 이렇게 간단한 일이었구나. 내가 좀 더 빨리 솔직한 내 마음을 전했더라면….'

* * *

다음날, 학교가 끝나고 집에 가는데 앞에 나리와 단아의 모습이 보였다.

'이젠 나도, 두 사람에게 내 마음을 전할 수 있어. 진짜 친구라면 당연히 그래야지!'

그렇게 생각하며 나는 그 둘에게로 뛰어갔다.

에필로그

점술관의 남자가 수정구슬에서 손을 떼었다. 수정구슬은 세 명의 여자아이를 비추고 있었다.

"운명을 바꿀 순간을 향해 한 걸음 내디딘 소녀가 또 있군요. 운명의 순간은, 일상의 사소한 장면에 숨어 있을지도 몰라요. 그 순간을 놓치지 않고 행복을 손에 넣을지 말지는 여러분에게 달렸어요."

남자는 책상 위에 놓여 있던 열쇠고리를 집어 들었다.

"아, 이 열쇠고리는 평범한 열쇠고리랍니다. 그저 빛에 비춰서 반짝였던 것뿐이지요."

끼이익. 점술관의 문이 열렸다.

"이런, 운명의 기회를 원하는 소녀가 또 찾아온 것 같아요. 당신에겐 어떤 미래가 기다리고 있을까요?"

작가의 말

다른 책들을 읽으면서 나도 한 번쯤은 책을 직접 써보고 싶다는 생각이 들었다. 재밌을 줄 알았는데, 역시 글을 쓰는 건 어렵다.

쓰고 싶은 내용이 많아서 내용을 정하는 데에만 긴 시간이 걸렸다. 또, 책을 쓰던 중간에 내용을 완전히 바꾸기도 했다.

앞으로도 책을 쓸 기회가 생기면 좋겠다.

- 손서빈

운명의 점술관

발 행 | 2023년 12월 07일
저 자 | 손서빈
펴낸이 | 한건희
펴낸곳 | 주식회사 부크크
출판사등록 | 2014.07.15.(제2014-16호)
주 소 | 서울특별시 금천구 가산디지털1로 119 SK트윈타워 A동 305호
전 화 | 1670-8316
이메일 | info@bookk.co.kr

ISBN | 979-11-410-5792-3

www.bookk.co.kr